PIERRE PORTE

Apprendre à dessiner

les animaux familiers

nathan

Ce livre vous propose une suite de dessins d'animaux familiers.

Dans un premier temps, vous les reproduirez et suivrez les conseils indiqués. A vous, ensuite, de dessiner votre chat ou votre chien préférés.

Des lignes apparaissent en pointillés: elles vous guident, mais elles seront gommées sur le dessin final.

Les chats

I

Tout d'abord
un cercle.

Deux oreilles et quelques
traits simples indiquant
les détails de la tête.

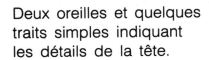

Ne pas oublier
la petite
« lumière blanche »
dans les yeux.

Un cercle...

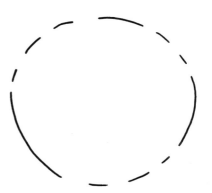

Indiquer ensuite la position
des oreilles, des yeux
et du museau.

Terminer par
les autres détails
en n'oubliant pas
la petite tache blanche
sur le nez pour donner
l'impression de brillant.

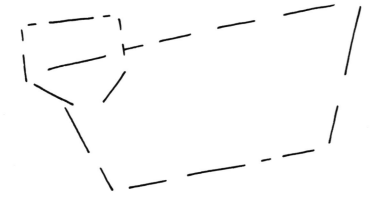

Respecter l'inclinaison des premières lignes.

Esquisser la courbe
du dos, ainsi que
les oreilles et
les pattes.

S'assurer de la
bonne position
d'ensemble avant...

de dessiner
les derniers
détails.

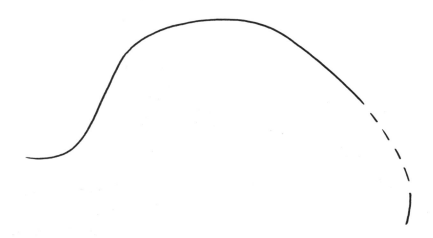

Une longue ligne qui fait ressortir la souplesse du dos.

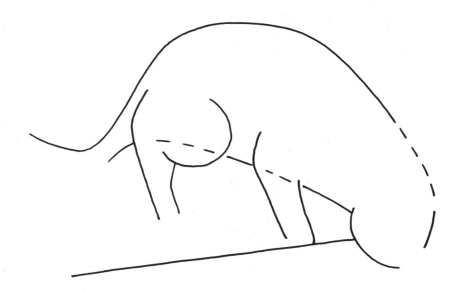

La ligne inférieure du corps, presque horizontale, souligne la position tendue vers l'avant.

Affiner la ligne du cou et les contours de la tête.

Le chat est prêt à bondir !...

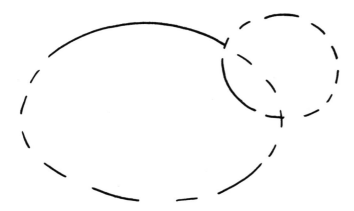

Deux formes très simples pour commencer.

Bien observer
la position
inclinée vers l'avant.

Esquisser la queue
et les détails de la tête.

Les derniers
détails peuvent
être dessinés.

La position du chat
apparaît dès la
première esquisse...

et se précise
avec l'indication
des pattes.

La tête prend sa
forme définitive.

L'ensemble de la
silhouette est affiné
par le dessin
du cou.

Les poissons

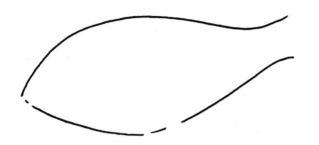

Deux traits simples.

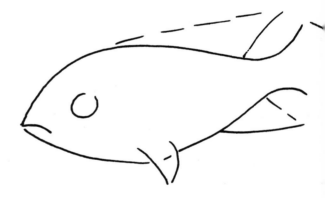

Esquisser
les nageoires
et la queue...

Il ne reste plus
que quelques détails.

Une boucle...

une queue
très large...

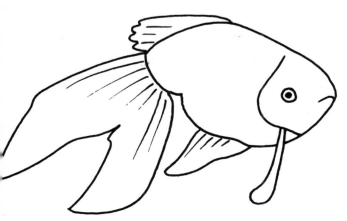

dont le dessin,
ainsi que celui
des nageoires, sera
complété par quelques
traits rapides.

La tortue

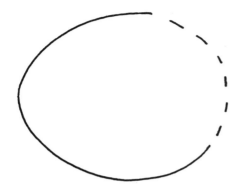

Un œuf...

qui se transforme
en tortue...

lorsqu'on ajoute
quelques détails
très simples.

Le canard

En deux
traits...

la silhouette du
canard apparaît.

Il ne manque
que quelques
détails.

Le cochon d'Inde

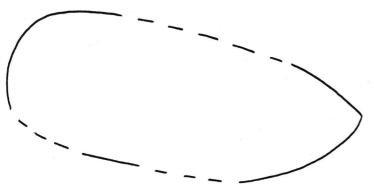

Avec cette esquisse,
la forme du corps est presque achevée.

Il ne manque plus
que les pattes...

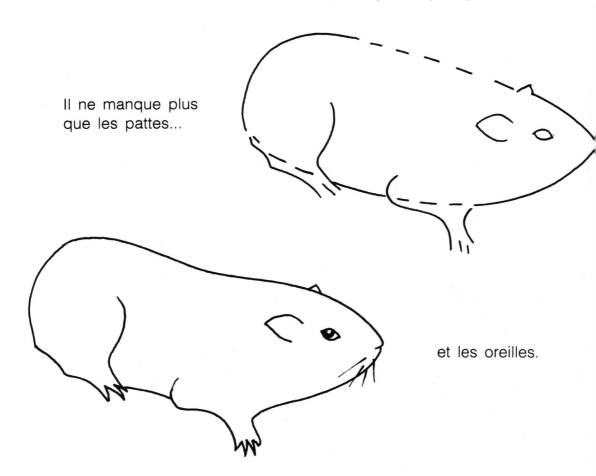

et les oreilles.

Les lapins

I

Un œuf...

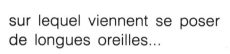

sur lequel viennent se poser
de longues oreilles...

et un œil brillant.

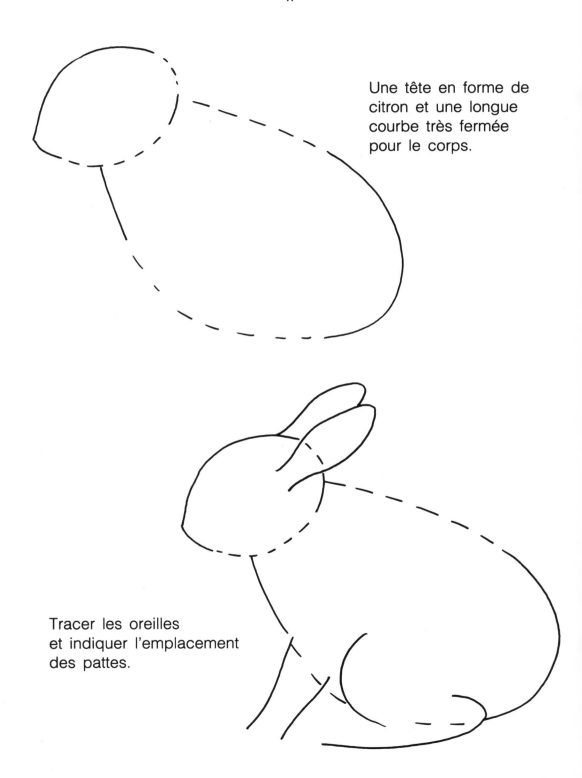

Une tête en forme de
citron et une longue
courbe très fermée
pour le corps.

Tracer les oreilles
et indiquer l'emplacement
des pattes.

Préciser les contours.

Achever avec
les derniers détails
en n'oubliant pas la
lumière dans l'œil.

Un petit et un grand ovale.

Dessiner les oreilles et tracer la partie inférieure du corps.

Achever le dessin
des pattes...

et donner sa forme
définitive à la tête.

Le basset artésien

Tracer légèrement
l'ovale de la tête...

puis de longues
lignes souples
pour les oreilles.

Des yeux peu ouverts
donnent une certaine
tristesse au regard.

Le boxer

Tracer avec soin
cette première
esquisse...

qui indique...

les proportions
massives de la
tête du boxer.

Le pointer

Une première ligne
qui rappelle la forme
d'un point d'interrogation
est complétée par
un trait vertical.

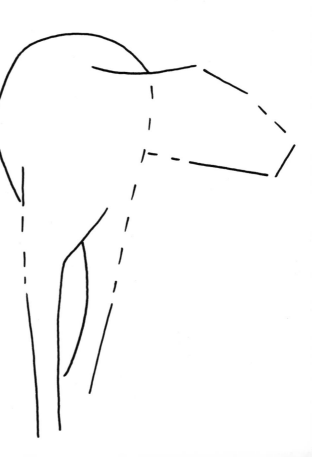

Esquisser
les contours
de la tête
et des pattes.

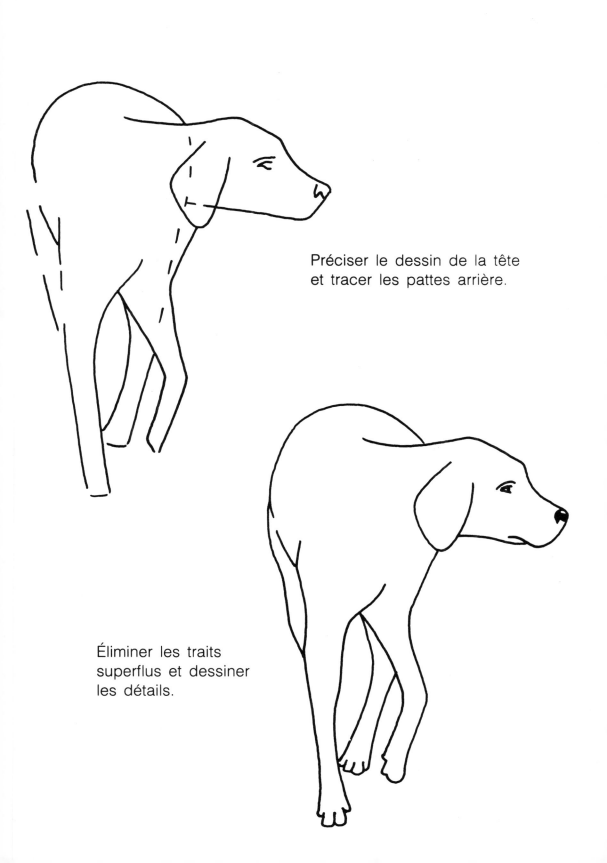

Préciser le dessin de la tête
et tracer les pattes arrière.

Éliminer les traits
superflus et dessiner
les détails.

Le berger allemand

Un ensemble de trois
lignes droites.

Quelques traits pour
indiquer la position
de la tête et
des pattes.

Préciser les contours
de la tête et compléter
le tracé des pattes.

Achever le dessin de
l'œil et de la truffe
en laissant toujours
un reflet blanc.

Le braque

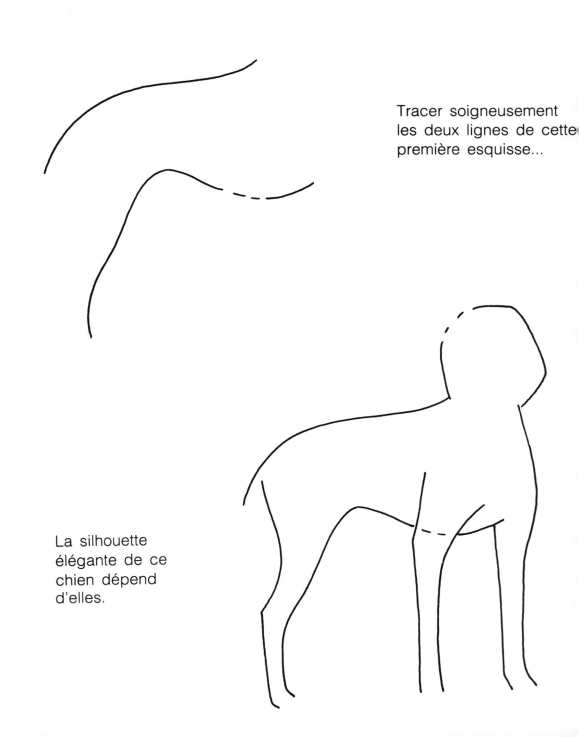

Tracer soigneusement
les deux lignes de cette
première esquisse...

La silhouette
élégante de ce
chien dépend
d'elles.

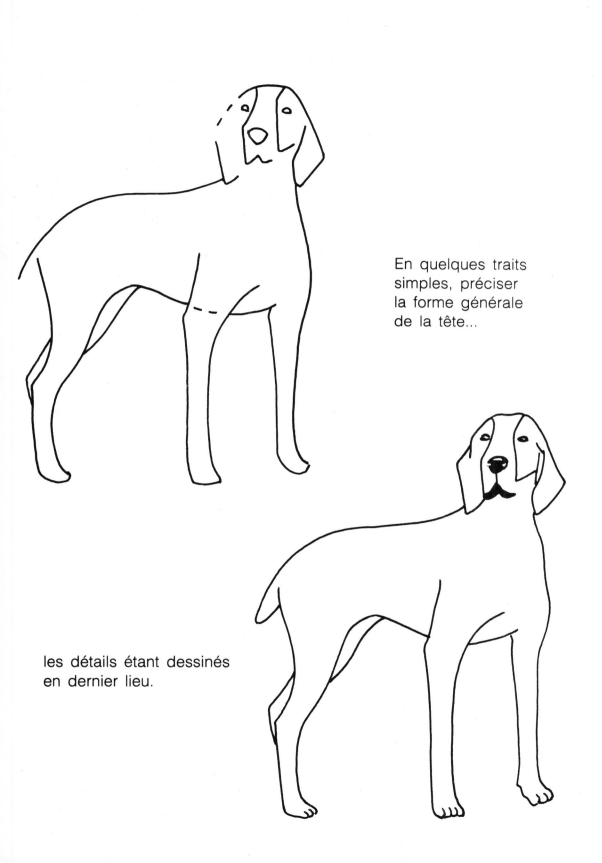

En quelques traits
simples, préciser
la forme générale
de la tête...

les détails étant dessinés
en dernier lieu.

L'épagneul

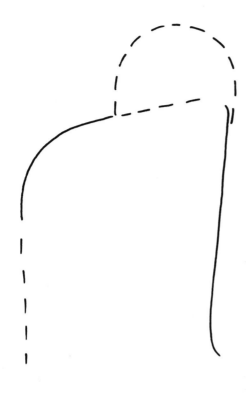

Un arc de cercle parfait
et deux lignes verticales
pour indiquer le contour.

Esquisser légèrement
les pattes...

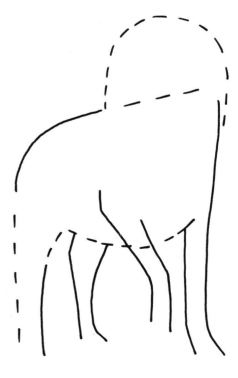

et les lignes principales
de la tête.

Achever le dessin
par le pelage et
les parties noires.

Jeune cocker

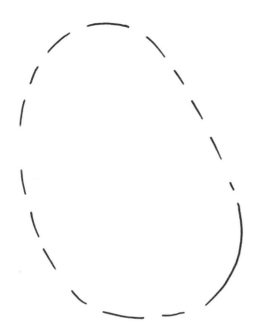

Un ovale tracé
légèrement pour
indiquer la position.

Attention aux
pattes fortes...

et à la silhouette
plus ronde que celle
du chien adulte.

Achever le dessin
après s'être assuré
de la bonne position
d'ensemble.

Le cocker

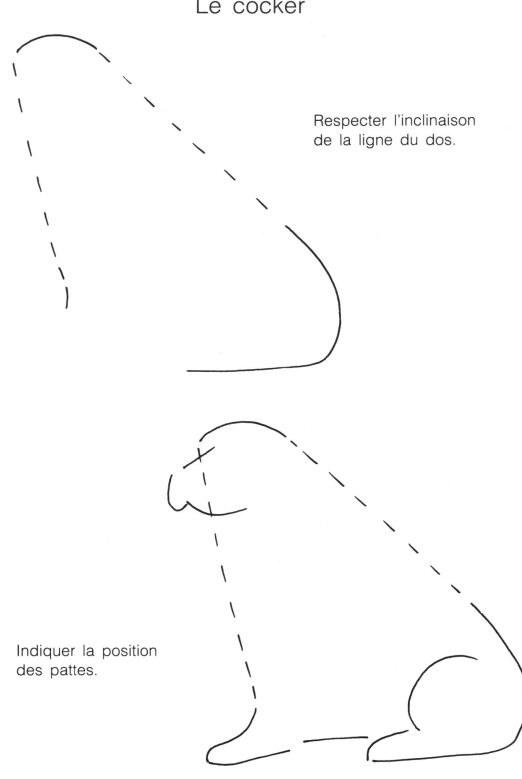

Respecter l'inclinaison
de la ligne du dos.

Indiquer la position
des pattes.

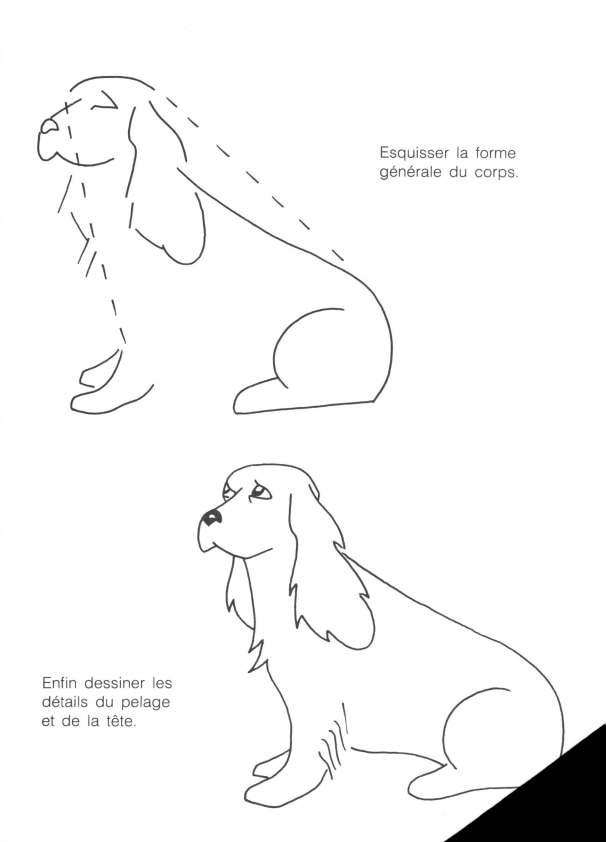

Esquisser la forme
générale du corps.

Enfin dessiner les
détails du pelage
et de la tête.

Le cocker

Un long arc de cercle
est complété par une
petite courbe...

Deux lignes sinueuses
précisant la forme
de la tête.

Les yeux, d'abord
esquissés, apparaissent
dans le dessin final

intés

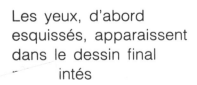

Le setter

Tracer légèrement un long arc de cercle au-dessus d'une ligne droite...

puis indiquer la position de l'oreille et la forme générale du museau.

Il ne reste plus que quelques détails simples.

La tourterelle

Une ligne droite
et une ligne courbe.

Préciser le dessin
de la tête...

et indiquer
l'emplacement de l'aile.

Le serin

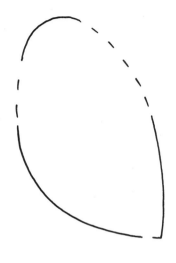

Une première esquisse
très simple...

dans laquelle s'inscrit
le corps de l'oiseau.

Le nid

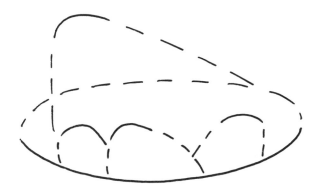

Esquisser d'abord le nid, puis la place des oiseaux.

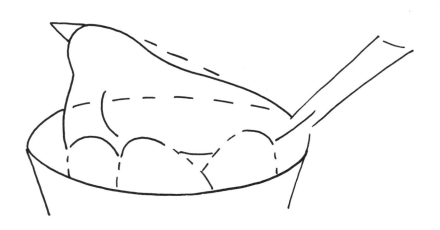

Préciser la silhouette de l'oiseau...

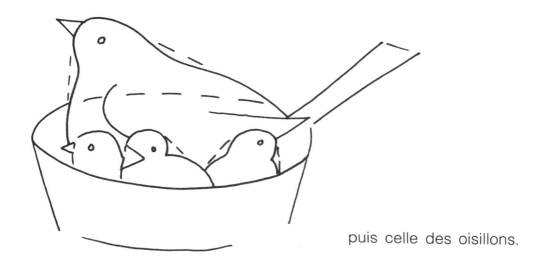

puis celle des oisillons.

Terminer par les détails : becs, plumage et nid.

Le couple d'oiseaux

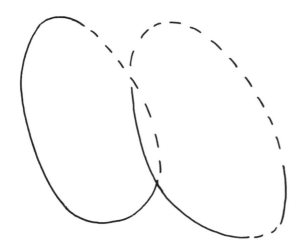

Deux ovales inclinés
vers la gauche.

Préciser
le contour
des deux silhouettes.

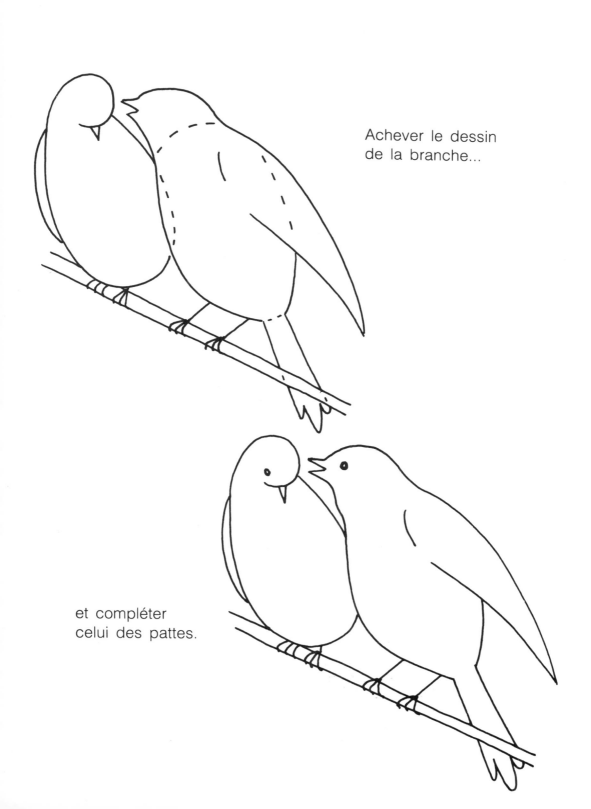

Achever le dessin
de la branche...

et compléter
celui des pattes.

Le canari

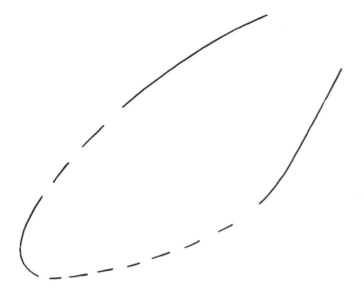

L'essentiel du dessin est contenu dans cette ligne...

complétée par le tracé des ailes et de la queue.

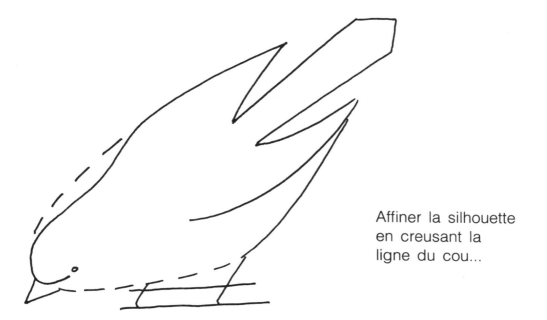

Affiner la silhouette
en creusant la
ligne du cou...

et achever le dessin
de la tête.

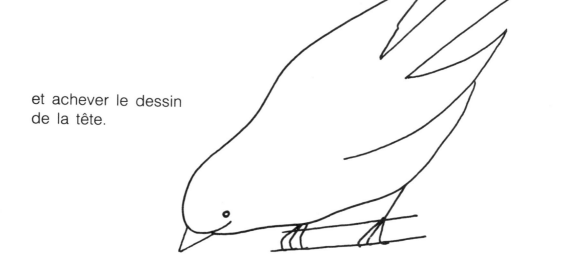

La perruche

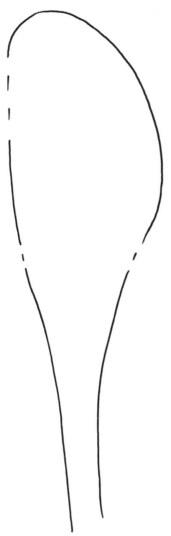

Une longue boucle, presque
refermée sur elle-même...

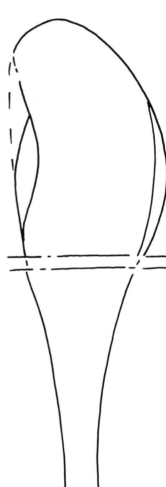

complétée par deux lignes
indiquant la forme générale
du corps et des ailes.

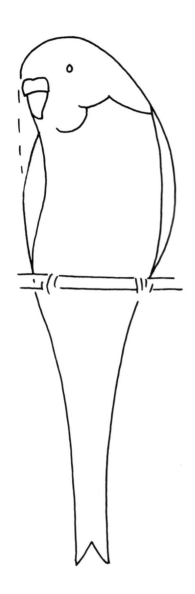

Esquisser ensuite le bec
et la limite inférieure
de la tête.

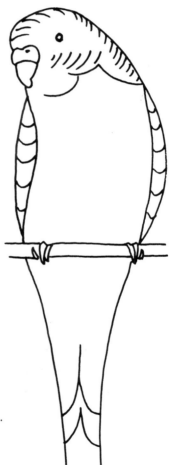

Quelques traits encore
sur les ailes et la tête
pour achever le dessin.

Les perroquets

La forme complète
du corps est contenue
dans cette boucle.

Quelques traits font
apparaître une aile
et la longue queue.

Tracer enfin les
détails de la tête...

en tenant compte
de la dimension
importante du bec.

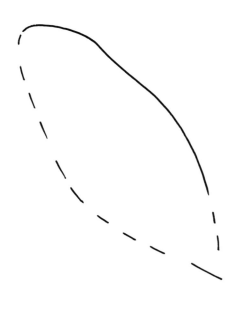

Deux courbes...

prolongées par deux lignes
indiquant la position
de la queue.

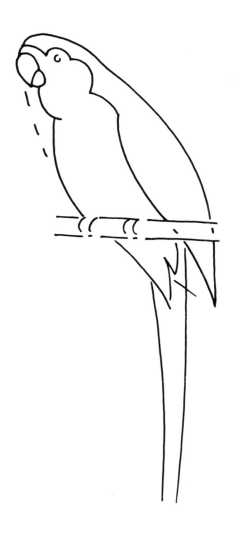

Esquisser le contour
de la tête et celui
de l'aile.

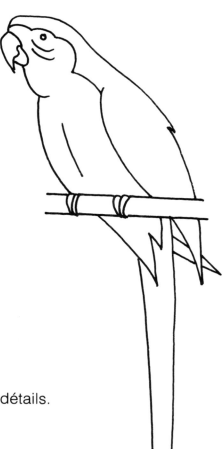

Préciser enfin les détails.

Les poneys

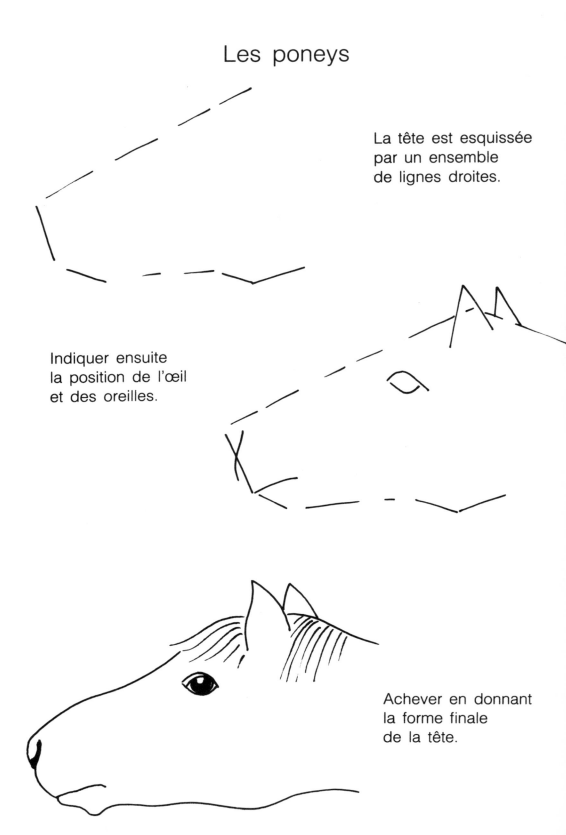

La tête est esquissée
par un ensemble
de lignes droites.

Indiquer ensuite
la position de l'œil
et des oreilles.

Achever en donnant
la forme finale
de la tête.

I

Une esquisse
très simple.

Le dessin de la
crinière sera tracé
rapidement pour
donner l'impression
de mouvement.

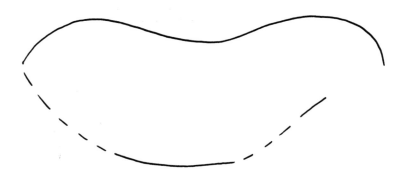

II

Tout d'abord, une ligne sinueuse au-dessus d'une courbe.

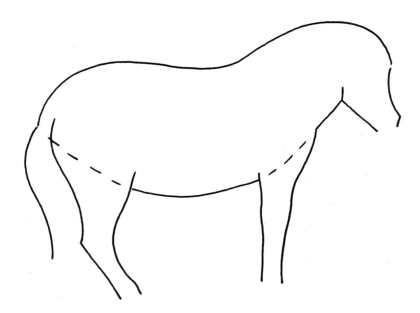

Esquisser les jambes droites et les contours de la tête.

Veiller à ne pas transformer ce poney en cheval...

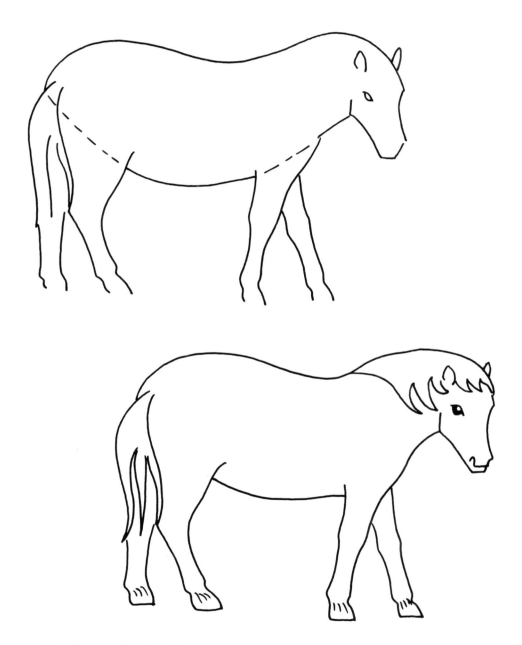

en dessinant des jambes trop fines et trop longues.

L'écureuil

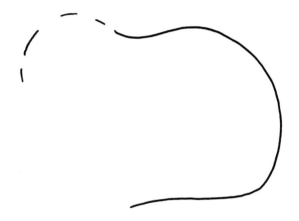

Tracer légèrement
la ligne sinueuse de
la tête et du dos.

Un petit arc
de cercle indiquera
le contour de la tête.
Esquisser également
les pattes.

Ébaucher la queue
par quelques traits
rapidement exécutés.

Tous les éléments du dessin final sont en place.

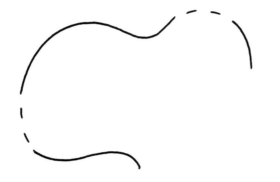

Esquisser tout d'abord
la ligne du dos et
la patte arrière.

D'un grand arc de cercle,
indiquer le panache de la queue,
compléter le contour de la tête
et indiquer la position des pattes.

Mettre en place les détails de la tête
et préciser le dessin des pattes.

Achever le dessin de la queue,
de la tête et des pattes.

L'écureuil rayé

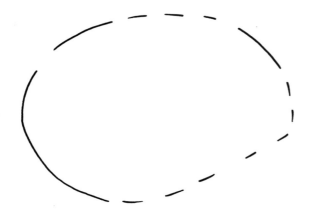

La silhouette générale
s'inscrit dans une
sorte d'œuf.

Quelques traits légers indiqueront
la position de la tête et des pattes.

Compléter l'esquisse
des pattes et
préciser la ligne
du dos.

Terminer le dessin des pattes. Les rayures
sont obtenues par de rapides hachures.

Imprimé en France, par l'Imprimerie Hérissey, Évreux - N° 63934
Dépôt légal : janvier 1994 - N° d'éditeur : 1002 0042
ISBN 2-09-272127-5